图书在版编目（CIP）数据

第一次使用工具／北京自然博物馆，高源著；廖杰，哐当哐当工作室绘．—北京：北京科学技术出版社，2020.6
（穿越时空的自然博物馆）
ISBN 978-7-5714-0780-3

Ⅰ．①第…　Ⅱ．①北…　②高…　③廖…　④哐…　Ⅲ．①人类起源－普及读物　Ⅳ．① Q981.1−49

中国版本图书馆 CIP 数据核字（2020）第 026240 号

第一次使用工具（穿越时空的自然博物馆）

作　　者：北京自然博物馆　高　源
绘　　者：廖　杰　哐当哐当工作室
策划编辑：阎泽群　刘　辰　代　冉
责任编辑：张　芳
责任印制：李　茗
图文制作：天露霖文化
封面设计：沈学成
出 版 人：曾庆宇
出版发行：北京科学技术出版社
社　　址：北京西直门南大街16号
邮政编码：100035
电话传真：0086-10-66135495（总编室）
　　　　　0086-10-66161952（发行部传真）
　　　　　0086-10-66113227（发行部）
网　　址：www.bkydw.cn
电子信箱：bjkj@bjkjpress.com
经　　销：新华书店
印　　刷：北京博海升彩色印刷有限公司
开　　本：787mm×1092mm　1/16
印　　张：2.25
版　　次：2020年6月第1版
印　　次：2020年6月第1次印刷
ISBN 978-7-5714-0780-3 / Q・186

定价：42.80元

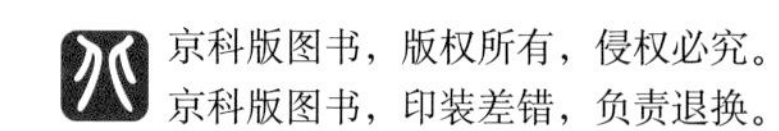

第一次使用

北京自然博物馆　高　源◎著
廖　杰　哐当哐当工作室◎绘

北京科学技术出版社

“如果感到幸福，你就拍拍手！”

唱到这句歌词时小朋友们都会一边拍手一边唱。拍手的时候，你有没有观察过自己的小手？我们的双手多么灵巧！五根可爱的小手指，可以翻书，可以玩游戏，还可以比手势传递信息……

但你知道人类的双手是怎么演化来的吗？一开始它们是什么样子的呢？接下来我们就讲一讲双手演化的故事。

我们之所以有这样的双手，是因为我们属于灵长类动物。灵长类动物还包括猴子和类人猿等，它们大多生活在树上。为了能轻松爬树，它们的手上和脚上的拇指都可以（与其他四指）对握，以便更好地抓住树枝。最早的灵长类动物起源于原始的食虫类动物，今天生活在亚洲的树鼩与最早的灵长类动物最接近。那时的食虫类动物的双手和现在的很不一样，还不能灵活地对握。

树鼩

后来灵长类动物开始长出可以与其他四指对握的大拇指。灵长类动物可以分成简鼻猴和原猴两大类，简鼻猴包含大多数的猴和类人猿，而原猴中最有名的就是狐猴和眼镜猴了。

狐猴以水果、树叶或虫子为食。它们的手脚都能抓握，尾巴很长，可以灵活地在树间跳跃。它们的第二根脚趾特别长，可以用来梳理毛发和挠痒，这种特征在它们的祖先兔猴中就出现了。

现生的眼镜猴是一种小型夜行动物，生活在东南亚，喜欢在丛林里跳来跳去，以昆虫、蜥蜴、小鸟为食。它们的拇指都能抓握，它们的祖先是在我国发现的阿喀琉斯基猴。化石研究发现，阿喀琉斯基猴虽然可以在树枝上行走、跳跃，却不能攀附在笔直的树干上。

更高等的猴类，比如我们熟悉的山魈、狒狒等，它们身体和头都相对较大，双手也更为发达。它们手指更长，关节更灵活，手部肌肉更丰满强壮。它们能用手灵活地抓握东西，还能做很多精细动作，比如“捉虱子”、梳理细小的毛发等。

山魈

随着高等猴类手部的发育，我们推测它们的行为也演化得越来越复杂。在我国甘肃省东乡族自治县出土的灵长类动物猴头骨化石，就属于高等猴类的化石。该化石是国内唯一现存的副长吻猴头骨化石，这种灵长类动物被新定名为“甘肃副长吻猴”。

甘肃副长吻猴头骨化石

比猴类更高等的，就是我们常说的类人猿了。类人猿包括长臂猿、猩猩、大猩猩、黑猩猩、倭黑猩猩以及我们人类。

类人猿最主要的特征是没有尾巴，它们更注重手的使用。大猩猩和黑猩猩可以握拳行走，而长臂猿则能够只靠双手在树间摆荡。在这个阶段，类人猿的双臂骨骼变得更长，肌肉增多，也更加灵活，可以绕一个大圈。

大猩猩

黑猩猩的手

人类的手

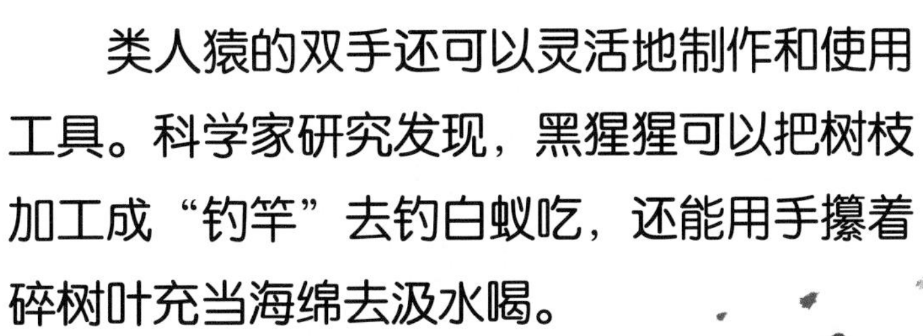

类人猿的双手还可以灵活地制作和使用工具。科学家研究发现，黑猩猩可以把树枝加工成“钓竿”去钓白蚁吃，还能用手攥着碎树叶充当海绵去汲水喝。

人类

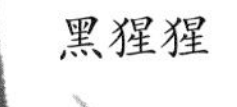

告别类人猿演化阶段，我们人类的始祖地猿登上了历史舞台。它们生活在距今约 700 万年前，在非洲发现了完整地保留了它们手骨和脚骨的化石。

这些化石显示，地猿的双手非常灵活，手指又细又长，但它们的脚趾和我们的不一样。地猿脚上的大拇指是垂直于其他脚趾的，这样的结构更利于在树上活动；我们的大拇指和其他脚趾是平行的，这样的结构更方便在地面上直立行走。

这也恰恰证明了，地猿刚刚从树上生活向地面生活转变，开始练习和巩固直立行走的新技能。

时间到了距今约400万年前，著名的南方古猿出现了，其中家喻户晓的就是“露西”。

这时的南方古猿身高只有1米左右，脑容量也不大，脸更像猩猩，并且手长腿短。但它们的骨盆已经能适应两只脚走路，手指也比较直，不像那些爬树的猩猩手指是弯曲的。

有的科学家认为南方古猿已经能制造和使用一些简单的工具了，但有的科学家认为它们还不会制造和使用工具，主要还是靠采集为生。

演化到南方古猿阶段，我们的祖先已经能熟练地直立行走了。不仅如此，为了更好地适应环境，南方古猿还开始群居。它们通过团结合作来争取更多的生存机会。

南方古猿的右手手骨

时间到了距今约 175 万年前，特别重要的能人出现了！他们虽然长得还有点儿像猩猩，但脑容量已经比较大了，手也更加灵活。能人的手和我们的手非常相似，目前大部分科学家认为他们是最早制造和使用工具的古人类。

能人会用双手把坚硬的石头加工成最原始的石器，用于攻击猛兽或加工食物。最早的石器主要包括石核和石片，有科学家猜想石核不仅可以保存下来以用于继续制作石片，还可以砸开果壳；而石片非常锋利，可以轻松划开猎物的身体。

时间到了距今约 170 万年前，我国境内最古老的直立人——元谋人出现了。

直立人代表了人类演化的新阶段。他们的大脑快速发展，双手也有了很大的变化。他们用灵巧的双手把石器加工得越来越复杂，砍砸器、雕刻器、手斧等相继出现。砍砸器主要用于砍砸猎物；雕刻器主要用于雕琢、加工石器；手斧用处最多，在人们获取猎物、自卫、加工别的工具时都能用上。这些精巧工具的出现，说明直立人的手部已经可以进行精细的操作了。

时间来到距今约 50 万年前，在我国北京周口店龙骨山，震惊世界的北京猿人被发现了！他们进一步演化，脑容量增加。虽然他们的眉弓比较高，嘴也有点儿突出，但是他们的样子已经和我们的很接近了。

北京猿人的双手长着结实的肌肉，非常有力。他们用双手打造了很多形态各异的石器，并学会了用火。火的使用大大加速了直立人的演化速度，进入到人类演化的新纪元。

到了距今约 10 万年前，在如今的河南地区出现了许昌人。科学家研究发现，他们的长相和如今的亚洲人和欧洲人的都有些相似。这一发现填补了这一时期古人类发现的空白。

许昌人双手灵巧，不仅会制造石器、使用火，还能熟练地加工骨器（骨骼加工成的工具）。在许昌人遗址发现了中国目前最早的骨器。动物的骨头比较脆，不如石头好加工，精美骨器的加工反映出他们双手的演化程度……

1930 年，在之前发现北京猿人的周口店龙骨山的山洞中，科学家们又发现了距今约 3 万年的古人类化石，这种古人类被命名为山顶洞人。

科学家们还在这里发现了大量的鱼骨化石，这说明山顶洞人已经会捕鱼了。小朋友想一想，滑溜溜的鱼好抓吗？肯定不好抓！因此，我们可以推测山顶洞人双手已经相当灵活，已经会制作鱼叉或渔网来捕鱼。

科学家们还在山顶洞人的遗址中发现了丰富的装饰品，有带孔的兽牙、海蚶壳、小石珠、小石坠等，这些精美的装饰品充分展示了山顶洞人高超的动手能力。

时间到了约 5000 年前，在陕西西安，我们的祖先告别了旧石器时代，迎来了新石器时代。会饲养家畜的半坡人登上了历史的舞台！

在半坡村遗址中科学家们不仅发现了更精美的装饰品，还发现了大量的磨制石器以及各类生产工具和生活用具。科学家们研究发现，半坡人已经可以用灵巧的双手种植植物。我国是最早种植粟的国家，也是较早种植蔬菜的国家，这些都离不开人们的双手……

纵观人类演化的历史，人类的双手起到了重要的作用！人类凭借一双巧手和聪明的大脑遍布世界各地，创造出辉煌的文明！

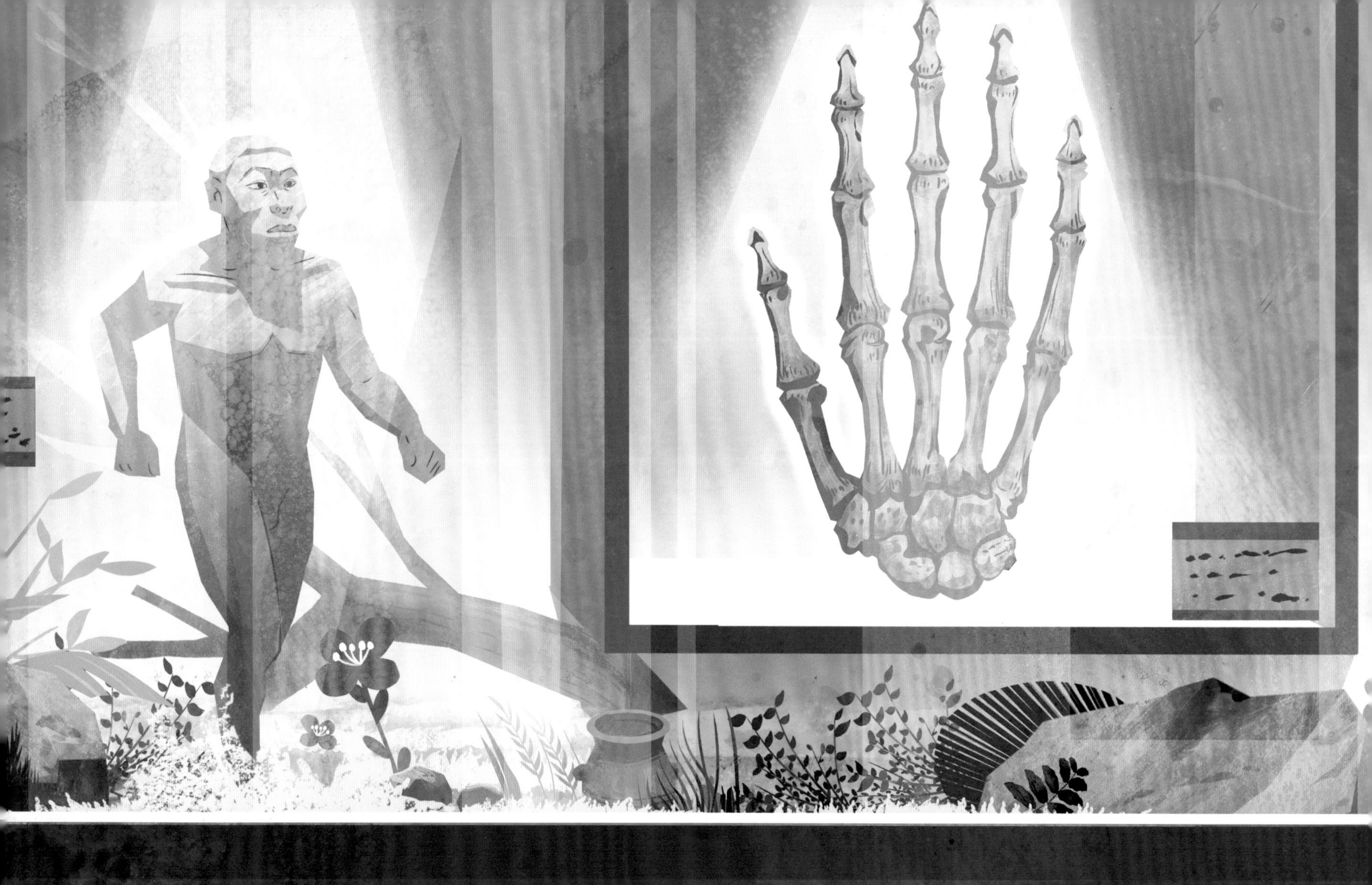

现代人的手骨由腕骨、掌骨和指骨组成。我们的手骨一共有多少块呢？27块！这些骨头演化得非常高等，每块骨头的形状、大小和功能都不相同。它们组合在一起执行着很多精细复杂的任务。

关于双手演化的故事还有很多，希望你能拿着绘本走进北京自然博物馆“人之由来”展厅，一边听人类演化的故事，一边亲眼看看那些极为珍贵的古人类化石。我在博物馆展厅里等着你哟……